A Capital Ecológica
CURITIBA

The Ecological Capital / La Capital Ecológica

Editoração / Textos / Fotografias
Editorial Supervision / Texts / Photographs
Supervisión Editorial / Textos / Fotografías

CARLOS RAVAZZANI
JOSÉ PAULO FAGNANI

CURITIBA

NATUGRAF LTDA

1999

Universidade Livre do Meio Ambiente
Única no mundo. Em nível universitário, pesquisa e divulga desenvolvimento com relação ao meio ambiente. Criada em 5 de junho de 1991, no Bosque Gutierrez, foi transferida em 1992, para o Bosque Zaninelli. Seu projeto arquitetônico repete, nas cores, os quatro elementos da natureza: terra, água, ar e fogo. O Bosque Zaninelli espaço ambiental de 37 mil m2, foi inaugurado com a presença do oceanógrafo francês Jacques-Yves Cousteau. O portal dá acesso à sede da Universidade Livre do Meio Ambiente.

Free University of the Environment
The only one of its kind in the world, this institution does research work on and publishes, at university level, environment-related matters. Created on June 5, 1991, in Gutierrez Grove, it was transferred, in 1992, to Zaninelli Grove. The building's architectural design reflects , in color, the four elements of nature:earth, water, air and fire. Zaninelli Grove, with a 37.000 m² area, was inaugurated with the presence of the French Oceanographer Jacques-Yves Cousteau. The portal gives access to the Free University of the Environment headquarters.

Universidad Libre Del Medio Ambiente
Única en el mundo. En nivel universitario, investiga y divulga avances en relación al medio ambiente.Creada el 5 de junio de 1991, en el Bosque Gutiérrez, fue transferida en 1992, para el Bosque Zaninelli. Su proyecto arquitectónico repite, en los colores, los cuatro elementos de la naturaleza: tierra, agua, aire y fuego. El Bosque Zaninelli, espacio ambiental de 37.000 m². fue inaugurado con la presencia del oceanógrafo francés Jacques –Yves Cousteau. El portal da acceso a la sede de la Universidad Libre del Medio Ambiente.

CURITIBA
A Capital Ecológica

A cidade de Curitiba, capital do Estado do Paraná, está situada na Região Sul do Brasil: latitude 25°25'48" Sul e longitude 49°16'15" Oeste. Ocupa uma área de 432,17 km2: extensão Norte-Sul de 35 km ; Leste-Oeste de 20 km. A altitude média é de 934,6m acima do nível do mar. Seu clima é temperado, com índice de pluviosidade de 1500mm/ano, e temperaturas médias de 21°C, no verão, e de 13°C , no inverno.

Curitiba deve seu nome à prodigiosa quantidade de araucárias (pinheiro-do-paraná) que crescem em seus arredores. Em língua indígena tupi-guarani "curii-tyba" significa muito pinhão ou muito pinheiro.

Quanto a sua formação étnica, Curitiba foi moldada de maneira única no Brasil. Primeiro pelos índios, pioneiros no uso da terra, seguidos, no século XVII pelos colonizadores portugueses e no século XVIII pelos tropeiros, condutores de gado entre São Paulo e o Rio Grande Do Sul. Nos campos de Curitiba, durante os longos períodos invernais, os tropeiros abriram caminhos, criaram vilas, estimularam o comércio. No século XIX, a cidade se tornou o lar dos imigrantes europeus vindos em grandes contingentes. A tendência imigratória em massa alcançou o século XX, com a chegada dos orientais.

A cidade foi oficialmente fundada em 29 de março de 1693. A maior parte de sua população de 1,5 milhão de habitantes descende de imigrantes italianos, poloneses, alemães, ucranianos, japoneses, sírios e libaneses. Por isso, se diz que Curitiba é uma cidade de muitos países.

Através do Instituto de Pesquisa e Planejamento Urbano de Curitiba - IPPUC - um verdadeiro laboratório de idéias - a cidade, modelo de planejamento urbano, se preparou para o futuro. Curitiba organizou sua estrutura viária, disciplinou a ocupação do solo, montou um sistema eficiente de transporte coletivo, criou a Cidade Industrial de Curitiba, implantou um grande programa de proteção ao meio ambiente e atingiu níveis invejáveis de qualidade de vida para seus habitantes.

Reconhecida nacional e internacionalmente por soluções urbanas inovadoras, algumas premiadas pela ONU, a circulação pela cidade é rápida e segura, garantida por um sistema trinário de vias, com canaletas exclusivas para o transporte coletivo. Curitiba tem o mais eficiente sistema de transporte coletivo do país, com os ônibus da linha direta, os populares "ligeirinhos", as estações-tubo e os ônibus biarticulados que transportam 270 passageiros. A construção de um metrô já está sendo planejada.

Com 26 grandes parques e bosques, centenas de praças e jardinetes, conta com o maior parque urbano do Brasil, o Parque Regional do Iguaçu, com 8 milhões de metros quadrados. Ostenta o índice de 52 metros quadrados de área verde por habitante, que junto com programas de educação ambiental e reciclagem do lixo, lhe deram o título de Capital Ecológica do Brasil.

Também chamada de Cidade Universitária, Curitiba abriga, diversas faculdades e a mais antiga universidade do Brasil, a Universidade Federal do Paraná, fundada em 1912. Na área de educação outra inovação curitibana é são os Faróis do Saber, mini-bibliotecas moduladas, em estrutura de metal e vidro, construídos junto às escolas municipais e que atendem à população dos bairros.

Em Curitiba, turismo está ligado à história, à cultura e à ecologia, expressas em usos e costumes de cada etnia aqui estabelecida. O turismo se faz no calçadão da Rua das Flores e nos velhos casarões e igrejas do Setor Histórico. Nos Memoriais da Imigração das diversas etnias: portuguesa, alemã, polonesa, ucraniana, italiana, árabe e japonesa. Nos museus, nos teatros e outros espaços culturais. Na Ópera de Arame e na Rua 24 horas. Nos shoppings. Nos parques e bosques. No Jardim Botânico e na Universidade Livre do Meio Ambiente. Na gastronomia e no artesanato do bairro de Santa Felicidade.

Hoje, Curitiba é uma cidade de comércio, serviços e indústrias, com alta tecnologia e planejamento. Tem programas sociais e uma qualidade de vida reconhecidos em todo o país e no exterior. Com um PIB de U$8,6 bilhões/ano, tem renda per capita de U$5,9 mil/ano, contra uma média nacional de U$3,6 mil/ano.

A cidade vive agora um rápido processo de integração entre os 26 municípios que compõem a Região Metropolitana, cuja população somada é de 2,4 milhões de habitantes, e de diversificação de seu parque industrial. Em parceria com o governo do Estado do Paraná, está captando investimentos industriais na ordem de U$ 5,9 bilhões para a Região Metropolitana da cidade. Curitiba se prepara para o futuro, investindo na geração de empregos, no atendimento social e na preservação de sua identidade cultural.

CURITIBA
The Ecological Capital

The city of Curitiba, capital of the state of Paraná, is located in Brazil's south region: Latitude 25º25'48" South and longitude 49º16'15" West. The city comprises a 432.17 square kilometer (km2) area, over a 35 km North-South length and a 20 km East-West length. Median altitude is 934.6m above sea level. The city has a temperate climate, with a 1500 mm/year rainfall rate, and average temperatures of 21ºC in summer and 13ºC in winter.

Curitiba got is name from the prodigious quantity of araucariae (Paraná pine-tree) which grow in its surroundings. In the Tupi-Guarani language "curii-tyba" means a large number of pine-tree seeds or a large number of pine-trees.

Curitiba's ethnic make-up was molded in a manner which is unique in Brazil. First by the native Indians who were pioneers in the use of the land, followed by Portuguese colonizers in the XVII century and, in the XVIII century, by muleteers and cattle herders between the states of São Paulo and Rio Grande do Sul. In the Curitiba fields, during the long winter periods, the muleteers blazed trails, founded villages and practised trade. In the XIX century, the city welcomed European immigrants who came in large groups. The mass immigration trend lasted into the XX century, with the arrival of the orientals.

The city was officially founded on March 29, 1693 and the majority of its current 1.5 million inhabitants are descendants of Italian, Polish, German, Ukrainian, Japanese, Syrian and Lebanese immigrants. That is why Curitiba is said to be a city of many nations.

Through the Curitiba Institute of Urban Research and Planning-IPPUC – a veritable laboratory of ideas – the city prepared itself for the future. Curitiba laid out its street network, established laws governing land occupation, set up an efficient mass transportation system, created the Curitiba Industrial District, implemented a comprehensive environment protection system and ensured an enviable quality of life for its population.

The city is both nationally and internationally famous for its innovative urban solutions, some of which have been singled out for special awards by the U.N. Traffic circulation throughout the city is both rapid and safe, as Curitiba has the country's most efficient mass transportation system, with the direct-line buses (the popular "speedy" buses), the tube stations and the "accordeon type" double-link buses that can carry up to 270 passengers. Plans for a subway system are already being drawn up.

In addition to its 26 large parks and groves and hundreds of squares, Curitiba has Brazil's largest urban park – the Iguaçu Regional Park, with an area of 8 million square meters. The city also boasts a rate of 52 m² of green area per inhabitant, which together with environmental education and waste recycling programs have earned it the title of Brazil's Ecological Capital.

Also known as a University City, in addition to three other universities and several colleges Curitiba is home to Brazil's oldest university – the Federal University of Paraná, founded in 1913. In the educational area, another Curitiba innovation are the so-called "Beacons of Knowledge", mini-libraries with a metal and glass structure built next to the municipal schools, which also serve the population of the various districts.

In Curitiba, tourism is linked to ecology, history and culture, as expressed by the usages and customs of each ethnic group established here. Tourists will be attracted by the Flower Street promenade and the old manor houses and churches of the Historical Sector; by the Immigration Memorials of the various ethic groups: Portuguese, German, Polish, Ukrainian, Italian Arabian and Japanese; by the museums, theaters and other cultural landmarks; by the Wire Opera House and the 24 Hour Street; by the shopping malls, parks and groves; by the Botanical Garden and the Free Environment University; by the countless eateries and handicraft shops of the Santa Felicidade district.

Today, Curitiba is a city where trade, services and high technology industries thrive, while its growth takes place in a well planned way. It has social programs and a quality of life which are acknowledged both at home and abroad. With a GDP of US$8.6 billion / year, it has a per capita income of US$5.9 thousand a year, as compared with a national average of US$3.6 thousand / year.

The city is currently undergoing a rapid integration process among the 26 municipalities making up the Metropolitan Area, whose population is of 2.4 million people. Its industrial park is becoming diversified as, in partnership with the Paraná state goverment, the city has attracted US$ 5.9 billion worth of industrial investments to its metropolitan area. Curitiba gets ready for the future by investing in the creation of jobs, in the provision of social services and in the preservation of its cultural identity.

Ópera de Arame
Localizado no Parque das Pedreiras, espaço cultural, formado pela Pedreira Paulo Leminski e a Ópera de Arame. A Pedreira Paulo Leminski é um ponto para realização de grandes shows, podendo receber até cinqüenta mil pessoas. A Ópera de Arame, inaugurada em 1992, é um espaço destinado às apresentações artísticas e culturais. Edificada em ferro tubular e revestido com tela aramada, sua estrutura é semelhante à da Ópera de Paris.
É cercada por um lago, com cascata originária de uma das nascentes do local.

The Wire Opera House
It is located in the Stone Quarries Park, a cultural space formed by the Paulo Leminiski Stone Quarry and the Wire Opera House. The Paulo Leminski Quarry is an area where shows geared to a large public are staged, as it can accommodate up to 50.000 people. The Wire Opera House, inaugurated in 1992, is intended for cultural and artistic presentations. Built of tubular iron covered by a wire mesh, its structure is similar to that of the Paris Opera It is surrounded by a pond with a waterfall flowing from one of several springs found at the spot.

Ópera de Alambre
Localizado en el Parque de las Canteras, espacio cultural, formado por la Cantera Paulo Leminski y la "Ópera de Alambre". La Cantera Paulo Leminski es un punto de realización de grandes shows, pudiendo recibir hasta 50.000 personas. La "Ópera de Alambre", inaugurada en 1992, es un espacio destinado a presentaciones artísticas y culturales. Edificada en hierro tubular y revestida con tela de alambre, su estructura es semejante a la de la Ópera de París. Está rodeada por un lago, con cascada original de una de las nacientes del lugar.

Teatro Paiol
Símbolo da mudança cultural da Curitiba dos anos 70, inaugurou o processo de reciclagem de uso das edificações de valor para a memória coletiva da cidade. Construído em 1906, o velho paiol de pólvora foi restaurado e reciclado, transformando-se em teatro de arena. Sua inauguração, em 27 de dezembro de 1971, teve batismo pelo poeta Vinícius de Moraes, com uísque e com a música especialmente composta, por ele, para a ocasião: "Paiol de Pólvora".

The Paiol Theater
A symbol of the cultural change that took place in Curitiba in the 70's, it launched the process of recycling for different uses buildings which had some value for the city's collective memory. Built in 1906, the old powder magazine (paiol) was recycled and restored, being converted into an arena theater. It was inaugurated on December 27, 1971 and "baptized"with whisky by the famous poet Vinicius de Moraes who also wrote the lyrics of a song for the occasion, quite fittingly titled "Powder Magazine".

Teatro "Paiol"
Símbolo del cambio cultural de la Curitiba de los años 70, inauguró el proceso de reciclaje del uso de las edificaciones de valor para la memoria colectiva de la ciudad. Construido en 1906, el viejo depósito de pólvora fue restaurado y reciclado, transformándose en teatro de arena. En su inauguración el 27 de diciembre de 1971, fue bautizado por el poeta Vinicius de Moraes, con whisky y con la música especialmente compuesta para la ocasión, "Paiol de Pólvora".

CURITIBA
La Capital Ecológica

La ciudad de Curitiba, capital del Estado de Paraná, está situada en la Región Sur de Brasil: latitud 25º25'48" Sur y longitud 49º16'15" Oeste. Ocupa un área de 432,17 Km²; extensión Norte Sur de 35 Km; Este Oeste de 20 Km. La altitud media es de 934,6m sobre el nivel del mar. Su clima es templado, con índice pluvial de 1500mm/año y temperaturas medias de 21ºC, en verano y de 13ºC en invierno.

Curitiba debe su nombre a la prodigiosa cantidad de Araucarias (pino del Paraná) que crecen en sus alrededores. En la lengua indígena tupiguaraní, "curii-tyba" significa mucho piñón o mucho pino.

Con respecto a su formación étnica, Curitiba fue moldeada de manera única en Brasil. Primero por los indígenas, pioneros en el uso de la tierra, seguidos, en el siglo XVII por los colonizadores portugueses y en el siglo XVIII por los troperos, conductores de ganado entre São Paulo y Rio Grande do Sul. En los campos de Curitiba, durante los largos períodos invernales, los troperos abrieron senderos, crearon villas, estimularon el comercio. En el siglo XIX la ciudad se convirtió en el hogar de los inmigrantes europeos venidos en grandes contingentes. La tendencia inmigratoria en masa ocurrió en el siglo XX, con la llegada de los orientales.

La ciudad fue oficialmente fundada el 29 de marzo de 1693. La mayor parte de la población de 1,5 millón de habitantes desciende de inmigrantes italianos, polacos, alemanes, ucranianos, japoneses, sirios y libaneses. Por eso, se dice que Curitiba es una ciudad de muchos países.

A través del Instituto de Investigación y Planeamiento Urbano de Curitiba – IPPUC – un verdadero laboratorio de ideas – la ciudad, modelo de planeamiento urbano, se ha preparado para el futuro. Curitiba ha organizado su estructura vial, ha reglamentado la ocupación del suelo, ha montado un sistema eficiente de transporte público, ha creado la "Cidade Industrial de Curitiba" – CIC - , ha implantado un gran programa de protección al medio ambiente y alcanzó niveles envidiables de calidad de vida para sus habitantes.

Reconocida nacional e internacionalmente por soluciones urbanas innovadoras, algunas premiadas por la ONU, la circulación por la ciudad es rápida y segura, garantizada por un sistema ternario de vías, con canaletas exclusivas para el transporte colectivo. Curitiba tiene el más eficiente sistema de transporte colectivo del país, con los autobuses de línea directa, los populares "ligeirinhos",(rapiditos) las Estaciones Tubo y los autobuses "biarticulados" (doble fuelle) que transportan 270 pasajeros. La construcción de un metro está en proyecto.

Con 26 grandes parques y bosques, centenares de plazas y pequeños jardines, cuenta con el mayor parque urbano de Brasil, el Parque Regional del Iguaçú, con 8 millones de metros cuadrados. Ostenta el índice de 52 metros cuadrados de área verde por habitante que, juntamente con programas de educación ambiental y de reciclado de basura, le han dado el título de Capital Ecológica de Brasil.

También llamada de Ciudad Universitaria, Curitiba abriga diversas facultades y la más antigua universidad de Brasil, la Universidad Federal de Paraná, fundada en 1912. En el área de educación otra innovación curitibana son los "Faróis do Saber" (Faros del Saber), pequeñas bibliotecas moduladas, en estructura de metal y vidrio, construidas junto a escuelas municipales y que atienden a la población de los barrios.

En Curitiba el turismo está vinculado a la historia, a la cultura y a la ecología, expresadas en usos y costumbres de cada raza aquí establecida. El turismo se hace en el "calçadão" (calle peatonal) de la "Rua das Flores" (Calle de las Flores) y en los viejos caserones e iglesias del Sector Histórico y también en los Memoriales de la Inmigración de las diversas razas: portuguesa, alemana, polaca, ucraniana, italiana, árabe y japonesa; en los museos, teatros y otros espacios culturales; en la "Ópera de Arame" y en la "Rua 24 horas" (Calle 24 horas); en los shoppings, parques y bosques; en el Jardín Botánico y en la "Universidade Livre do Meio Ambiente" (Universidad Libre del Medio Ambiente); en la gastronomía y en la artesanía del barrio de Santa Felicidad.

Hoy en día Curitiba es una ciudad de comercio, servicios e industrias, con alta tecnología y planeamiento. Tiene programas sociales y una calidad de vida reconocidos en todo el país y en el exterior. Con un PIB de U$8.600 millones/año, tiene renta per capita de U$ 5,9mil/año, contra una media nacional de U$3,6 mil/año.

La ciudad vive ahora un rápido proceso de integración entre los 26 municipios que componen la Región Metropolitana, cuya población sumada es de 2,4 millones de habitantes, y de diversificación de su parque industrial. En conjunto con el gobierno del Estado de Paraná, está captando inversiones industriales del orden de U$5.900 millones de dólares para la Región Metropolitana de la ciudad. Curitiba se prepara para el futuro invirtiendo en la generación de empleos, en el atendimiento social y en la preservación de su identidad cultural.

Torre das Mercês
Inaugurada em dezembro de 1991 a Torre das Mercês, tem 109,5 metros de altura (o equivalente a um prédio de 40 andares). No hall de entrada há um Museu da Telefonia. Um Mirante, a 95 metros de altura, permite uma visão de toda a cidade e os contornos da Serra do Mar. No mirante há um painel, em concreto aparente, do artista Poty Lazzarotto, com o tema História das Comunicações.

The Mercês Tower
Inaugurated in December 1991, the Mercês Tower stands 109.5 meters high (the equivalent of a 40 story building). In the entrance hall, one will find a Telephony Museum.. A belvedere, located at a height of 95 meters, affords a view of the whole city as well as of the outlines of the Serra do Mar mountains. In the belvedere there is a panel in high relief concrete, by the artist Poty Lazzarotto, whose theme is the History of Communications.

"Torre Das Mercês"
Inaugurada en diciembre de 1991, la "Torre das Mercês", tiene 109,5 metros de altura (equivalente a un edificio de 40 pisos). En el hall de entrada está el Museo de la Telefonía. Un mirador, a 95 metros de altura, permite una visión de toda la ciudad y los contornos de la Sierra del Mar. En el mirador hay un panel, en hormigón armado, del artista Poty Lazzarotto, con el tema Historia de las Comunicaciones.

Catedral / Nossa Senhora da Luz dos Pinhais

A Catedral Metropolitana de Curitiba, localizada na Praça Tiradentes, foi construída entre 1876 e 1893 e é dedicada à Nossa Senhora da Luz dos Pinhais. No dia do centenário, 8 de setembro de 1993, a Catedral ganhou o "status" de Catedral Basílica Menor. A escultura da padroeira da cidade de Curitiba, inaugurada no dia do centenário, tem 2,5 metros de altura e está colocada sobre um pedestal de 10 metros de altura. Foi modelada pela artista plástica Maria Inês di Bella.

The Cathedral of "Our Lady of the Light of the Pine Trees"

The Curitiba Metropolitan Cathedral, located on Tiradentes Square, was built between 1876 and 1893, and is consecrated to Our Lady of the Light of the Pine Trees. On its 100th anniversary, September 8, 1993, the cathederal was awarded the satus of a Minor Basilica. The sculpture of Curitiba's patron saint, which was unveiled on the centennial date, stands 2.5 m high and has been placed on a 10 m high pedestal. The statue was carved by the plastic artist Maria Inês di Bella.

Catedral "Nossa Senhora da Luz dos Pinhais"

La Catedral Metropolitana de Curitiba, localizada en la Plaza Tiradentes, fue construida entre 1876 y 1893 y está dedicada a "Nossa Senhora da Luz dos Pinhais". El día del centenario, 8 de septiembre de 1993, la Catedral recibió el status de Catedral Basílica Menor. La escultura de la Patrona de la ciudad de Curitiba, inaugurada el día del centenario, tiene 2,5 metros de altura y está colocada sobre un pedestal de 10 metros de altura. Fue modelada por la artista plástica Maria Inês di Bella.

Jardim Botânico
Com 278 mil m², é o cartão-postal de Curitiba. Foi inaugurado em 5 de outubro de 1991 e recebeu o nome oficial de Jardim Botânico Francisca Maria Garfunkel Rischbieter. Canteiros geométricos, repletos de flores de cada estação, abrem espaço para uma estufa transparente, com estrutura metálica, que à noite se ilumina magicamente.
A estufa de 457 m², abriga espécies botânicas exóticas e da Floresta Atlântica e uma fonte d'água. Atrás da estufa estão as áreas de mata nativa com trilhas. Na área existe também, um Museu Botânico.

Botanical Garden
Covering an area of 278.000 m², this is Curitiba's number one showcase. It was inaugurated on October 5, 1991, under the official name of Francisca Maria Garfunkel Rischbieter Botanical Garden. Geometrical flowerbeds, teeming with flowers typical of each season lead up to a greenhouse built of metal and glass which at night is lit up as if by magic. The 457 m² greenhouse contains botanical species of the Atlantic Forest as well as exotic ones, and a spring. Behind the greenhouse there are native forest areas crisscrossed by trails. The area also comprises a Botanical Museum.

Jardín Botánico
Con 278.000 m², es la tarjeta de Curitiba. Fue inaugurado el 5 de octubre de 1991 y recibió el nombre oficial de Jardín Botánico Francisca Maria Garfunkel Rischbieter. Canteros geométricos llenos de flores de cada estación, abren espacio para un invernadero transparente, con estructura metálica, que por la noche se ilumina de una forma mágica. La estufa de 457 m², abriga especímenes botánicas y exóticas de la Floresta Atlántica en una fuente de agua. Detrás del invernadero están las áreas de bosque nativo con senderos. En el área existe también un Museo Botánico.

Parque Barigüi
O nome Barigüi tem origem indígena e significa "rio do fruto espinhoso". O rio ao qual os indígenas se referiam (rio Barigüi), é hoje responsável pela formação do lago de 400 mil m², represado para controlar as enchentes e possibilitar um lugar de refúgio para dezenas de espécies de aves nativas e migratórias, além de um famoso jacaré. É um dos maiores parques da cidade, com 1,5 milhão de m², e o mais freqüentado pelos curitibanos.
O Pavilhão de Exposições costuma abrigar grandes feiras e há ainda um Centro de Convenções e o Museu do Automóvel.

Barigui Park
The name "Barigui"is of aboriginal origin, meaning "river of the spiny fruit". The river the aborigenes referred to (the Barigui river) has given rise to a 400.000 m² lake, which has been dammed up so as to keep floods under control and to provide a home for dozens of species of native and migratory birds, besides one now famous alligator. Being one of the city's largest parks, with 1.5 million m², the Barigui is also one of the most often visited by Curitibanos. Large fairs are often held at the Exhibition Pavillion and, in addition to it, there are a Convention Center and the Automobile Museum.

Parque "Barigüi"
El nombre "Barigüi" tiene origen indígena y significa río del fruto espinoso. El río al cual los indígenas se referían (río "Barigüi"), es hoy responsable por la formación del lago de 400.000 m², represado para controlar las riadas y posibilitar un lugar de refugio para decenas de especímenes de aves nativas y migratorias, además de un famoso caimán. Es uno de los más grandes parques de la ciudad, con 1,5 millón de m², muy visitado por los curitibanos. El Pabellón de Exposiciones suele abrigar grandes exposiciones y hay todavía un Centro de Convenciones y el Museo del Automóvil.

Em cima:
Parque Tingüi
O nome do parque é uma homenagem ao povo indígena que primeiro habitou a região de Curitiba. Inaugurado em 10 de outubro de 1994, possui 380 mil m2 de área, em 2 km de extensão. O parque desempenha um importante papel na área de saneamento urbano, na recuperação e conservação do fundo de vale do Rio Barigüi. Conta com atrações como os lagos, pontes de madeira, recantos, parque infantil, pistas de cooper e ciclovias, além da estátua do cacique Tindiqüera, líder da tribo Tingüi. Abriga também o Memorial da Imigração Ucraniana.

À direita:
Parque Tanguá
Localizado no Pilarzinho, foi inaugurado em novembro de 1996. Forma, com os parques Barigüi e Tingüi, um conjunto que preserva o rio Barigüi Com área total de 450 mil m2 , destacam-se, no parque, duas pedreiras, unidas por um túnel de 45 metros de extensão, que pode ser atravessado a pé, por uma passarela sobre a água. O parque conta ainda com pista de cooper, ciclovia, mirante e lanchonete, além do Jardim Poty Lazzarotto.

Above:
Tingui Park
The park took its name from the native people who first inhabited the Curitiba area. Inaugurated on October 1st, 1994, it has an area of 380.000 m2 over a two kilometer length. The park plays an important role from the sanitation point of view, in the recovery and conservation of lowlands around the Barigui river. Its main attractions include ponds, wooden bridges, a playground, jogging and bicyle paths, in addition to a statue of Chief Tindiquera, the leader of the Tingui. The park also comprises the Ukrainian Immigration Memorial.

On the right:
Tanguá Park
Located in the Pilarzinho district, it was inaugurated in November 1996. Together with the Barigui and Tingui parks, it helps to perserve the Barigui river. Covering an area of 450.000 m2, the Tanguá Park's outstanding features are two stone quarries joined by a 45 m long tunnel which can be crossed through a walkway built over the water. The park also has jogging and bicycle paths, a belvedere and a luncheonette, in addition to the Poty Lazzarotto Garden.

Arriba:
Parque "Tingüi"
El nombre del parque es un homenaje al primer pueblo indígena que habitó la región de Curitiba. Inaugurado el 1 de octubre de 1994, posee 380.000 m2 de área, en 2 Km de extensión. El parque representa un importante papel en el área de saneamiento urbano, en la recuperación y conservación del fondo del valle del Río "Barigüi". Cuenta con atracciones como lagos, puentes de madera, rincones de descanso, parque infantil, pistas de cooper y pistas de ciclismo además de la estatua del cacique "Tindiqüera", líder de la tribu "Tingüi". Abriga también, el Memorial de la Inmigración Ucraniana.

A la derecha:
Parque "Tanguá"
Localizado en Pilarzinho, fue inaugurado en noviembre de 1996. Forma, con los parques "Barigüi" y "Tingüi", un conjunto que preserva el río "Barigüi". Con área total de 450.000 m2, se destacan, en el parque, dos pedreras unidas por un túnel de 45m de extensión, que puede ser atravesado a pie por medio de una pasarela sobre el agua. El parque cuenta, además, con una pista de cooper, "ciclovía" (pista para ciclismo), mirador y confitería, además del Jardín Poty Lazzarotto.

Memorial da Imigração Ucraniana
Localizado no Parque Tingüi, o Memorial da Imigração Ucraniana foi inaugurado em 26 de outubro de 1995. Marca o centenário da imigração ucraniana no Brasil. Possui capela, campanário, uma casa típica, palco ao ar livre e portal. Todos foram feitos com madeira de lei encaixada, inclusive as coberturas. A capela é uma réplica da igreja de São Miguel Arcanjo, construída no final do século passado na localidade de Serra do Tigre, município de Marechal Mallet.

Ukranian Immigration Memorial
Located in Tingui Park, the Ukrainian Immigration Memorial was inaugurated on October 26, 1995, as a memento of the centennial of the Ukrainian immigration into Brazil. It has a chapel and belfry, a typical house, an outdoor stage and a portal. Everything was made with inlaid hardwood, including the roofs. The chapel is a replica of St. Michael the Archangel's church, built at the end of the 18th century in the village of Serra do Tigre, municipality of Marechal Mallet.

Memorial De La Inmigración Ucraniana
Localizado en el Parque "Tingüi", el Memorial de la Inmigración Ucraniana fue inaugurado el 26 de octubre de 1995. Marca el centenario de la inmigración ucraniana a Brasil. Posee capilla, campanario, una casa típica, palco al aire libre y portal. Todo fue hecho con madera de ley encajada, incluso las coberturas. La capilla es una réplica de la iglesia de San Miguel Arcángel, construida al final del siglo pasado en la localidad de Sierra del Tigre, Municipio de Marechal Mallet.

Jardim Poty Lazzarotto
Foi inaugurado em junho de 1998, na Semana Mundial do Meio Ambiente. O Jardim Poty Lazzarotto, que faz parte do Parque Tanguá, é uma praça com jardins, portal, lagos e um belo mirante construído sobre paredões de pedra. É homenagem ao maior artista plástico curitibano: Poty Lazzarotto (1924-1998).

Poty Lazzarotto Garden
This garden was inaugurated in June 1998, during Worldwide Environment Week, and is part of the Tanguá Park. It consists of a public square with gardens, a portal, ponds and a beautiful belvedere built on a high stone wall, as a worthy tribute to Curitiba's greatest plastic artist, Poty Lazzarotto (1924-1998).

Jardín Poty Lazzarotto
Fue inaugurado en junio de 1998, en la Semana Mundial del Medio Ambiente. El Jardín Poty Lazzarotto que forma parte del Parque Tanguá, es una plaza con jardines, portal, lagos y un bello mirador construido sobre paredones de piedra. Es homenaje al mayor artista plástico curitibano: Poty Lazzarotto (1924 – 1998).

Bosque Alemão
São 38 mil m² de mata nativa, que faziam parte da antiga chácara da família Schaffer. A réplica de uma antiga igreja de madeira, com elementos decorativos neogóticos, abriga uma sala de concertos, denominada Oratório de Bach. Outras atrações são a trilha de João e Maria (que narra em azulejos o conto dos irmãos Grimm), uma biblioteca infantil, um mirante de madeira e a Praça da Poesia Germânica, com a reprodução da fachada da Casa Mila, construção germânica do início do século, originalmente localizada no centro da cidade.

The German Grove
This grove comprises 38.000 m² of native forest which used to be part of the Schaffer family's old country place. A replica of an old wooden church, with neogothic decorative pieces, houses a concert room called the Bach Oratorium. Other attractions are the Hans and Gretchen trail, (which tells the Grimm Brothers' tale), a children's library, a wooden belvedere and the German Poetry Square with a replica of the façade of Mila House, a typical German construction dating back to the beginning of the century and which was originally located in the downtown area.

Bosque Alemán
Son 28.000 m². de bosque nativo, que hacían parte de la antigua chacra de la familia Schaffer. La réplica de una antigua iglesia de madera, con elementos decorativos neogóticos, abriga un salón de conciertos denominado Oratorio de Bach. Otras atracciones son el sendero de "João e Maria",(que narra el cuento de los hermanos Grimm), una biblioteca infantil, un mirador de madera, la Plaza de la Poesía Germánica con la reproducción de la fachada de la Casa Mila, construcción germánica del inicio del siglo, originalmente localizada en el centro de la ciudad.

Krep's Suisso

Portal de Santa Felicidade
À moda da Itália antiga, o Portal de Santa Felicidade marca o início do bairro, famoso pelas comida típica italiana, pelo vinho e pelo artesanato em vime. O Bairro de Santa Felicidade teve origem na Colônia formada em 1878 por imigrantes italianos das regiões do Vêneto e do Trentino. Principal eixo gastronômico de Curitiba, é um desfile de casas típicas, unidades de interesse de preservação pelo valor histórico, arquitetônico e sentimental. Anualmente é realizada , em Santa Felicidade, a Festa da Uva, que, a partir de 1996, acontece no Bosque Italiano.

The Santa Felicidade Portal
After the fashion of ancient Italy, the Santa Felicidade Portal marks the beginning of the district, famous for its typical Italian cuisine, for its wine and for its wicker handicraft. The Santa Feliciade district had its origins in the colony founded in 1878 by Italian immigrants from the Veneto and Trentino regions. In addition to being Curitiba's largest agglomeration of restaurants, Santa Felicidade is where one will see the largest number of typical houses which are carefully perserved by reason of their historical, architectural and sentimental value. The annual grape festival is a local tradition, and as of 1996 it has been held at the Italian Grove.

Portal De Santa Felicidad
A la moda de Italia antigua, el Portal de Santa Felicidad marca el inicio del barrio, famoso por la comida típica italiana, por el vino y la artesanía en mimbre. El barrio de Santa Felicidad tuvo su origen en la colonia formada en 1878 por inmigrantes italianos de las regiones de Véneto y Trentino. Principal eje gastronómico de Curitiba, es un desfile de casas típicas, unidades de interés de preservación por el valor histórico, arquitectónico y sentimental. Anualmente se realiza en Santa Felicidad, la Fiesta de la Uva que, a partir de 1996 acontece en el Bosque Italiano.

Bosque do Papa
O Memorial da Imigração Polonesa foi inaugurado em 13 de dezembro de 1980, após a visita do Papa João Paulo II a Curitiba, em julho do mesmo ano. Sua área, de 46 mil metros quadrados, fez parte da desapropriação que envolveu a antiga fábrica de velas Estearina. As sete casas de troncos, que compõem o memorial, são lembranças vivas da fé e da luta dos imigrantes poloneses, com objetos como a velha carroça, a pipa de azedar repolho e a estampa da padroeira, a Virgem Negra de Czestochowa. Em Curitiba, a imigração polonesa começou em 1871.

The Pope's Grove
This is the Polish Immigration Memorial, inaugurated on December 13, 1980, after Pope John Paul II's visit to Curitiba in July of the same year. The grove's 46.000 m2 area is part of an expropriated piece of land involving the old Estearina candle factory. The seven tree-trunk houses which make up the memorial witness to the faith and the fighting spirit of the Polish immigrants, and so do relics such as the old horse-drawn cart, the barrel for making sauerkraut and the picture of the Patroness of the Polish Nation, the Black Virgin of Czestochowa. The first Polish immigrants arrived in Curitiba in 1871.

Bosque Del Papa
El Memorial de la Inmigración Polaca fue inaugurado el 13 de diciembre de 1980, tras la visita del Papa João Paulo II a Curitiba, en julio de este mismo año. Su área, de 46.000 metros cuadrados, formó parte del desapropiamiento que envolvió la antigua fábrica de velas Estearina. Las siete casas de troncos que componen el memorial son recuerdos vivos de la fe y de la lucha de los inmigrantes polacos, con reliquias como la vieja carreta, la pipa de agriar repollo y el grabado de la patrona , la Virgem Negra de Czestochowa. En Curitiba, la inmigración polaca comenzó en 1871.

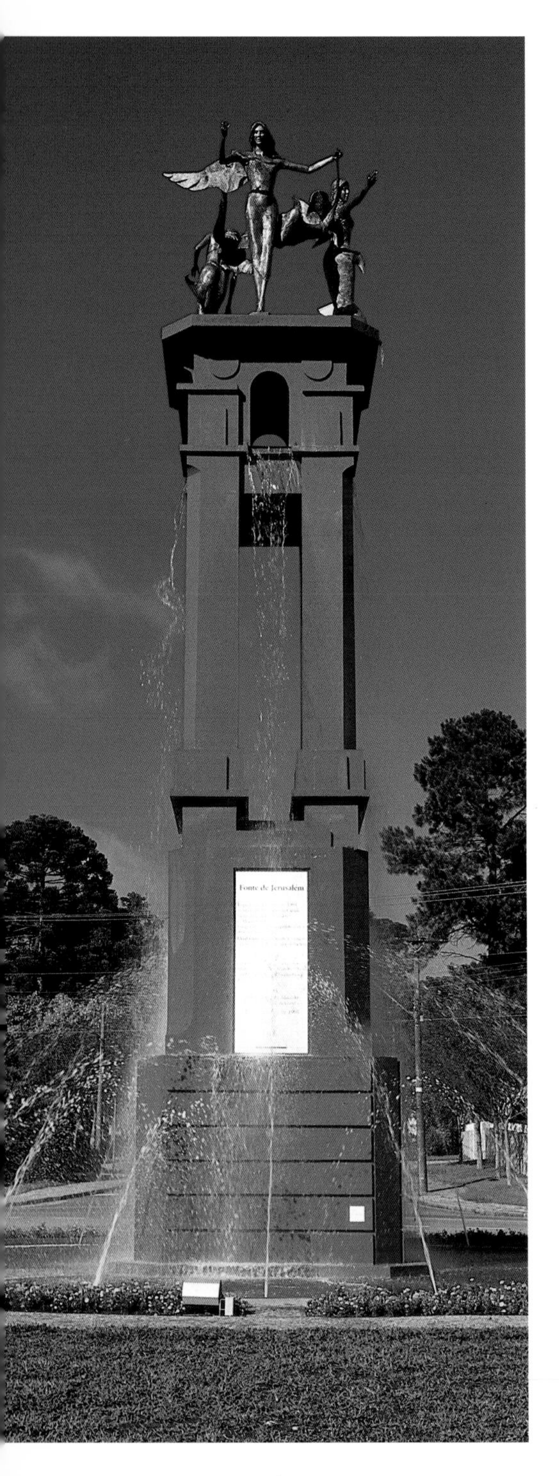

À esquerda:
Fonte de Jerusalém
É uma homenagem aos 3 mil anos de Jerusalém, Cidade Santa para Judeus, Cristãos e Muçulmanos.
À direita:
Bosque de Portugal
É o Memorial da Língua Portuguesa. É formado por elementos da arquitetura luso-brasileira e pela Alameda dos Cantares Portugueses; um caminho de pedras aberto no meio da mata ao longo do córrego, com 22 pilares, onde poesias da língua portuguesa, estão gravadas em azulejos portugueses, pintados a mão.

On the left:
The Jerusalem Fountain
This is a tribute to the 3000 years of Jerusalem, the Holy City for Jews, Christians and Muslims.
On the right:
Portugal Grove
This is the Portuguese Language Memorial. It consists of elements drawn from Portuguese-Brazilian architecture and from the "Alameda dos Cantares Portugueses". Alongside a path paved with flagstones, cutting through the woods along a stream, there are 22 pillars on which Portuguese language poems are engraved on hand-painted Portuguese tiles.

A la izquierda:
Fuente De Jerusalén
Es un homenaje a los 3.000 años de Jerusalén, Ciudad Santa para Judíos, Cristianos y Musulmanes.
A la derecha:
Bosque De Portugal
Es el Memorial de la Lengua Portuguesa. Está formado por elementos de arquitectura lusobrasileña y por la Alameda de los Cantares Portugueses; un camino de piedras abierto en el medio de la floresta a lo largo del arroyo, con 22 pilares, donde poesías de la lengua portuguesa están grabadas en azulejos portugueses pintados a mano.

Praça do Japão
Entre jardins de estilo japonês, foi construído em 1993 o Memorial da Imigração Japonesa. Um Buda em pedra, no meio do lago, marca a irmandade entre Curitiba e Himeji. O pagode expõe e revela na minúcia das dobraduras de papel (origami), na arte floral (ikebana) e nos poemas de três versos (hai-kais) a paciência e a arte dos japoneses, no Brasil desde 1908.

Japan Square
The Japanese Immigration Memorial was built in 1993 amidst Japanese style gardens. A stone Buddha, set at the center of a pond witnesses to the brotherhood between Curitiba and Himeji. The Pagoda exhibits and reveals in the intricacies of paper folding (origami), in floral art (ikebana) and in three stanza poems (hai-kais), the patience and the art of the Japanese, who started emigrating to Brazil in 1908.

Plaza De Japón
Entre jardines de estilo japonés, fue construido en 1993 el Memorial de la Inmigración Japonesa. Un Buda de piedra, en el medio del lago, marca la hermandad entre Curitiba e Himeji. La pagoda expone y revela en la minuciosidad de las dobladuras de papel (origami), en el arte floral y en las poesías de tres versos (hai-kais), la paciencia y el arte de los japoneses, en Brasil desde 1908.

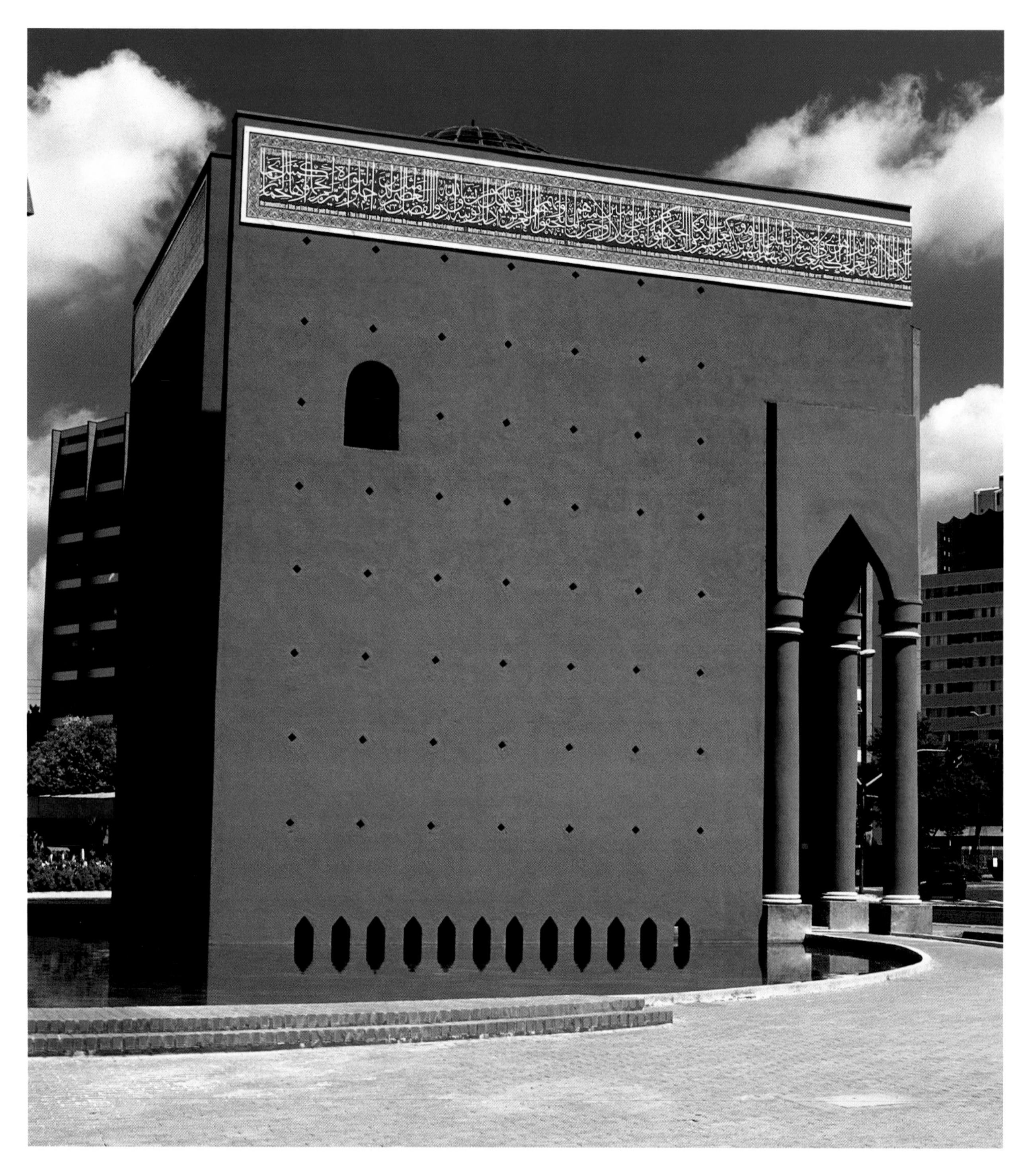

Memorial Árabe
Localizado no centro da cidade, em frente ao Passeio Público, homenageia a cultura do Oriente Médio e funciona como biblioteca especializada. O prédio com o formato de um cubo, está colocado sobre um espelho d'água e lembra o estilo arquitetônico das edificações mouriscas por elementos como a abóbada, as colunas, os arcos e os vitrais. No interior da construção, sobre um pedestal de mármore, está a escultura representativa do escritor Gibran Khalil Gibran.

The Arabian Memorial
Located in the center of the city, across from Passeio Público, it pays tribute to Middle Eastern culture and functions as a specialized library. The cube-shaped building is located over a water mirror and reminds one of the architectural style of Moorish structures through items such as the dome, the columns, the arches and the stained-glass windows. Inside the building, on a marble pedestal, there is a statue representing the writer Gibran Khalil Gibran.

Memorial Árabe
Localizado en el centro de la ciudad, enfrente del Paseo Público, homenajea la cultura de Oriente Medio y funciona como biblioteca especializada. El edificio tiene la forma de un cubo, está colocado dentro de un espejo de agua y trae a la memoria el estilo arquitectónico de las edificaciones moriscas, por elementos como la bóveda, las columnas, los arcos y los vitrales. En el interior de la construcción, sobre un pedestal de mármol, está la escultura representativa del escritor Gibran Khalil Gibran.

Passeio Público
Primeiro parque público de Curitiba, inaugurado pelo presidente da Província do Paraná, Alfredo d'Escragnolle Taunay, em 2 de maio de 1886. Foi a primeira grande obra de saneamento da cidade, transformando um charco num espaço de lazer, com lagos, pontes e ilhas em meio ao verde. Zoológico pioneiro de Curitiba, abriga até hoje pequenos animais. Seu portão é cópia do que existiu no Cemitério de Cães de Paris.

The "Passeio Público"
Curitiba's first public park, it was inaugurated on May 2, 1886, by the then president of the Province of Paraná, Alfredo d'Escragnolle Taunay. It was also the city's first large sanitation project, which transformed a swamp into a recreation area, with ponds, bridges and little islands amidst the green of lawns and trees. As Curitiba's first zoo, to this day it is home to small animals. Its main gate is a replica of one which once existed in Paris' Pet Cemetery.

Paseo Público
Primer parque público de Curitiba, inaugurado por el presidente de la Província de Paraná, Alfredo d'Escragnolle Taunay, el 2 de mayo de 1886. Fue la primera gran obra de saneamiento de la ciudad, transformando un charco en un espacio de ocio, con lagos, puentes e islas en medio al verde. Zoológico pionero de Curitiba , abriga hasta hoy pequeños animales. Su portón es copia de lo que existió en el Cementerio de Perros de París.

Em cima:
Parque Passaúna
O Parque possui uma área de 6,5 milhões de m², margeando a represa do rio Passaúna, responsável pelo fornecimento de 1/3 da água consumida em Curitiba. Possui trilha ecológica beirando o lago, com 3,5 km , ancoradouro de barcos e um mirante de 46 m de altura.
Embaixo:
Memorial Chico Mendes
Homenagem ao heróico seringueiro e ecologista, no Bosque Gutierrez, lembrando sua luta pela preservação da floresta amazônica. O Bosque Gutierrez, com área total de 36.000 m², possui ainda dois pequenos lagos, trilhas de observação, Casa do Seringueiro, Escola Amazônica e o Instituto de Estudos Amazônicos. Na entrada, várias torneiras servem aos visitantes, água mineral de nascentes do Bosque.

Above:
Passaúna Park
This park covers a 65 million sq. meter area, bordering the Passaúna river dam, which supplies Curitiba with 1/3 of the water it consumes. It has a 3.5 km long ecological trail around the lake, a marina for boats and a 46 m high belvedere.
Bellow:
Chico Mendes Memorial
Located in Gutierrez Grove, as a tribute to the heroic rubber-tapper and ecologist, in recognition of his struggle for the preservation of the Amazon forest. The Grove, with a total area of 36.000 m², also has two ponds, observation trails, a typical rubber-tapper's house, an Amazonian school and the Institute for Amazonian Studies. At the entrance, several faucets supply the visitors with mineral water from springs found at the grove.

Arriba:
Parque "Passaúna"
El Parque posee un área de 6,5 millones de m2 al margen de la represa del río Passaúna, responsable por el suministro de 1/3 del agua consumida en Curitiba. Posee un sendero ecológico bordeando el lago, con 3,5 Km , atracadero de barcos y un mirador de 46 m de altura.
Abajo:
Memorial "Chico Mendes"
Homenaje al heroico "seringueiro" y ecologista, en el Bosque Gutiérrez, recordando su lucha por la preservación de la floresta amazónica. El Bosque Gutiérrez, con área total de 36.000 m², posee dos pequeños lagos, senderos de observación, la Casa del "Seringueiro", la Escuela Amazónica y el Instituto de Estudios Amazónicos. A la entrada, varios grifos sirven a los visitantes agua mineral de las nacientes del Bosque.

Parque São Lourenço
Implantado em 1972, o parque nasceu da necessidade de reparar os estragos do estouro da represa do São Lourenço. Uma velha fábrica de cola e adubos teve seu uso reciclado para Centro de Criatividade de Curitiba, com cursos, oficinas, apresentações e exposições. Em maio de 1994 o centro implantou o Liceu de Artes, para preservar antigas técnicas e treinar aprendizes, visando à sua colocação no mercado de trabalho.

Saint Lawrence Park
Created in 1972, this park was born from the need to repair the damages wrought by the collapse of the St. Lawrence river dam. An old glue and fertilizer factory was recycled into the Curitiba Creativity Center, where courses, workshops, presentations and exhibitions are held. In May 1994, the Arts Lyceum was implemented at the center for the purpose of preserving age-old techniques as well as for training apprentices who will then more easily find a place in the job market.

Parque "São Lourenço"
Implantado en 1972, el parque nació de la necesidad de reparar los daños del estallido de la represa del "São Lourenço". Una vieja fábrica de cola y adobo tuvo su uso reciclado para Centro de Creatividad de Curitiba, con cursos, talleres, presentaciones y exposiciones.
En mayo de 1994 el centro implantó el Liceo de Artes, para preservar antiguas técnicas y entrenar aprendices, visando su colocación en el mercado de trabajo.

Transporte Coletivo
Implantado em 1974, com a preocupação de privilegiar o transporte de massa, o sistema de transporte coletivo de Curitiba é um dos mais eficientes do Brasil. Criou-se um sistema trinário de vias, que tem, ao centro, uma canaleta exclusiva para o ônibus. Atualmente são 58 km de vias exclusivas, que cruzam a cidade. O grande diferencial do transporte curitibano é dispor de tarifa integrada, permitindo deslocamentos por toda a cidade pagando apenas uma passagem. O sistema é integrado por meio de Terminais e Estações-Tubo. Assim, cerca de 1,9 milhão de passageiros são transportados diariamente.

Mass Transportation
Implemented in 1974 and intended to favor mass transportation, the Curitiba mass transportation system is one of Brazil's most efficient. A three-lane system was designed, whose central lane is intended exclusively for buses. Today, there are 58 km of such three-lane streets crisscrossing the city. What makes the Curitiba mass transportation system different is the so-called "integrated fare", which allows one to travel throughout the entire city by paying a single fare. The system is integrated by means of terminals and "tube stations". In this way, approximately 1.9 million passengers are transported daily.

Transporte Colectivo
Implantado en 1974 con la preocupación de favorecer el transporte de masa, el transporte colectivo de Curitiba es uno de los más eficientes de Brasil. Fue creado el sistema ternario de vías, que tiene al centro una "canaleta" (vía) exclusiva para los autobuses. Actualmente son 58 Km de vías exclusivas que cruzan la ciudad. El gran diferencial del transporte curitibano es el de disponer de tarifa integrada, permitiendo traslados por toda la ciudad pagando apenas un billete. El sistema está integrado por Terminales y Estaciones Tubo. Cerca de 1,9 millones de pasajeros son transportados diariamente.

Estaçao
Central
VOLVO
cidade
de
curitiba
AFK 3089

CURITIBA
BD122
GLORIA

Entrada
Sentido > Capao Raso
CURITIBA

77

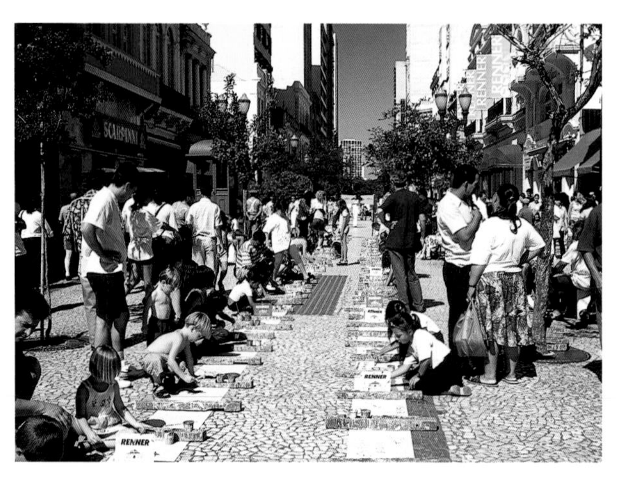
RENNER

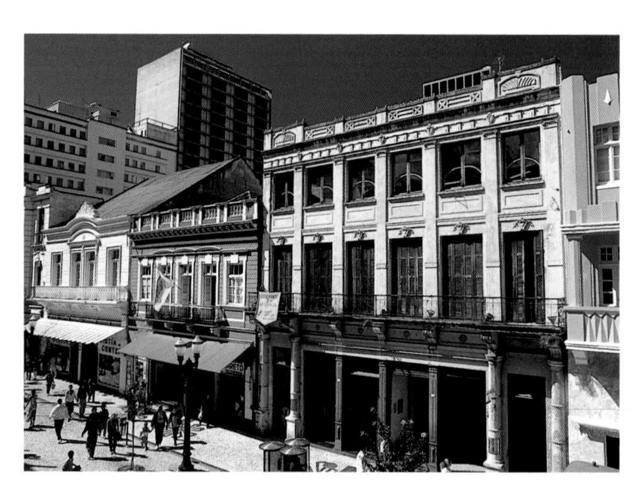

RENNER
RENNER

Rua das Flores / Boca Maldita
A Rua das Flores (à esquerda) foi a primeira rua do país, com calçadão exclusivo para pedestres. Com seu casario antigo é o ponto de encontro de todos os curitibanos. A Boca Maldita (nesta página) é um tradicional ponto de encontro de machistas e fofoqueiros, no calçadão da Avenida Luiz Xavier. Em 13 de dezembro de 1956 seus freqüentadores fundaram uma sociedade, a "Boca Maldita", de fama nacional e internacional, formada por "cavalheiros" e um presidente perpétuo.

Flower Street / "The Accursed Tongue"
Flower Street (on the left) was Brazil's first street with a promenade reserved for pedestrians. With its many ancient buildings, its a meeting point for all Curitibanos. On this page: Boca Maldita ("The Accursed Tongue") is a traditional meeting point for male chauvinists and gossips, on the Avenue Luiz Xavier promenade. On December 13, 1956, its habitués founded an association – "The Accursed Tongue" – which won international reputation and is formed by "squires" and a lifetime president.

Calle de Las Flores / Boca Maldita
La Calle de las Flores (a la izquierda) fue la primera calle del país con acera exclusiva para peatones. Con su caserío antiguo es el punto de encuentro de todos los curitibanos. La Boca Maldita (en esta página) es un tradicional punto de encuentro de machistas y chismosos en el sector peatonal de la Avenida Luiz Xavier. El 13 de diciembre de 1956 sus frecuentadores undaron una sociedad, la "Boca Maldita", de fama nacional e internacional, formada por caballeros y un presidente perpetuo.

HSBC
HSBC
HSBC Bamerindus
HSBC Bamerindus

HSBC
HSBC Bamerindus
HSBC Bamerindus

Natal de Luz
À esquerda o "Natal no Palácio Avenida", um espetáculo que já faz parte da tradição da cidade, valorizando a arquitetura de um edifício histórico. Na fachada do edifício, é construído um cenário com 50.000 lâmpadas e iluminação cênica.
O espetáculo é reforçado por um coral de crianças e idosos.
Em cima o "Presépio Vivo", no prédio central da Universidade Federal do Paraná. A fachada do prédio histórico é cenário de um espetáculo musical, composto por um presépio com anjos vivos.

Christmas of Light
On the left: "Christmas at the Avenida Palace", a spectacle which has already become traditional in the city and gives due prestige to a historical building, on whose façade a scenery with 50.000 light bulbs and stage lighting is put up. The beauty of the ensemble is enhanced by a chorus of children and elderly people from the community's.
Above: The "Live Crib" at the central building of the Federal University of Paraná. The historical building's façade becomes the scenery for a musical show consisting of a crib with live angels.

Navidad De Luz
A la izquierda: Navidad en el Palacio Avenida, un espectáculo que ya hace parte de la tradición de la ciudad, valorando la arquitectura de un edificio histórico. Sobre el edificio está construido un escenario con 50.000 lámparas e iluminación escénica.
El espectáculo es animado por un coral de niños y personas mayores venidas de corales de la comunidad.
Arriba: El Belén Vivo, en el edificio central de la Universidad Federal de Paraná. La fachada del edificio histórico es escenario de un espectáculo musical compuesto por un belén con ángeles vivos.

Setor Histórico
À esquerda, a Praça Garibaldi, que abriga construções que contam a história da cidade: a Igreja do Rosário, construída no século XVIII; o antigo Solar Wolff (1866), hoje sede da Fundação Cultural de Curitiba; a Igreja Presbiteriana Independente (1934); a Sociedade Garibaldi em estilo neoclássico (1890); galerias de arte; lojas de antigüidade; o Relógio das Flores (1972); o Solar do Rosário (1890); além da Fonte da Memória. Aos domingos, acontece nesta praça a Feira de Arte e Artesanato. Nesta página, o Largo da Ordem, dominado pela Igreja da Ordem Terceira de São Francisco das Chagas, construída em 1737. Também estão no Largo: a Casa Romário Martins (antigo armazém, restaurado em 1973); a Casa Vermelha (antiga loja de ferragens, construída em 1891); a Feira do Poeta e o bebedouro da época em que os colonos ali vendiam frutas e verduras em carroças e davam água aos cavalos.

The Historical Sector
On the left, Garibaldi Square, noted for a number of buildings that tell the history of the city: Rosary Church, built in the XVIII century; the old Wolff manor house (1866) - today the headquarters of the Curitiba Cultural Foundation; the Independent Presbyterian Church (1934); Garibaldi Society, in neoclassical style (1890); art galleries; antique shops; the Flower Clock (1972); the Rosário manor house (1890), in addition to the Memory Fountain. An art and handicraft fair takes place here every Sunday. On this page you see Order Plaza, whose main building is the Church of the Third Order of Saint Francis, built in 1737. On the same Plaza one sees Romário Martins House, (formerly a grocery store, restored in 1973); Casa Vermelha (1891) (an old hardware store); the Poet's Fair and the drinking fountain from the days when farmers used to sell fruit and vegetables there and also watered their horses.

Sector Histórico
A la izquierda, la Plaza Garibaldi que abriga construcciones que cuentan la historia de la ciudad: la Iglesia del Rosario (construida en el siglo XVIII), el antiguo Solar Wolf (1866), hoy sede de la Fundación Cultural de Curitiba, la Iglesia Presbiteriana Independiente (1934), la Sociedad Garibaldi en estilo neoclásico (1890), galerías de arte, tiendas de antigüedad, el Reloj de las Flores (1972), el Solar del Rosario(1890), además de la Fuente de la Memoria. Los domingos acontece en esta plaza la Feria de Arte y Artesanía.En esta página, el "Largo da Ordem", dominado por la Iglesia de la Orden Tercera de San Francisco de las LLagas, construida en 1737. También están en el "Largo", la Casa Romario Martíns, antiguo almacén restaurado en 1973, la "Casa Vermelha"(Casa Roja) (1891), antigua ferretería , la Feria del Poeta y el bebedero de la época en que los colonos allí vendían frutas y verduras en carretas y daban agua a los caballos.

Cidade Universitária
Curitiba também é chamada de Cidade Universitária. Em cima, o prédio central da Universidade Federal do Paraná, a mais antiga do Brasil, fundada em 1912. À esquerda a Biblioteca da Pontifícia Universidade Católica do Paraná e o prédio da Universidade Tuiuti do Paraná, visto da Torre das Mercês.

University City
Curitiba is also called University City. Above, one sees the central building of the Federal University of Paraná, Brazil's oldest, founded in 1912. On the left, the library of the Pontifical Catholic University of Paraná and the main building of Tuiuti Paraná University, as seen from the Mercês tower.

Ciudad Universitaria
Curitiba es también llamada Ciudad Universitaria. Arriba, el edificio central de la Universidad Federal de Paraná, la más antigua de Brasil, fundada en 1912. A la izquierda, la Biblioteca de la Pontificia Universidad Católica de Paraná y el edificio de la Universidad Tuiuti de Paraná, visto desde la "Torre das Mercês".

Teatro Guaíra
Criado em 1912, o Teatro Guaíra foi sucessor do primeiro teatro oficial do Paraná, o Theatro São Theodoro, cuja construção data de 1884. A construção do prédio atual do Teatro Guaíra foi iniciada em 1952, com projeto do engenheiro Rubens Meister. Foi construído em etapas e inaugurado, finalmente, em 1974. Este importante espaço cultural, um conjunto arquitetônico majestoso com 16.900 m², abriga três salas de espetáculos: o auditório Bento Munhoz da Rocha com 2.173 lugares, o auditório Salvador de Ferrante com 504 e o auditório Glauco Flores de Sá Brito com 113 lugares.

The Guaíra Theater
Founded in 1912, the Guaíra Theater was the successor to Paraná's first official theater, the Saint Theodore Theater, whose construction dates back to 1884. Today's Guaíra Theater started being built in 1952, having been designed by the engineer Rubens Meister. It was put up in stages and was finally inaugurated in 1974. This important cultural space, a majestic architectural ensemble covering 16.900 m² is actually made up of three separate theaters: the Bento Munhoz da Rocha auditorium, with 2.173 seats, the Salvador de Ferrante auditorium with 504 and the Glauco Flores de Sá Brito, with 113 seats.

Teatro Guaíra
Creado en 1912, el Teatro Guaíra fue sucesor del primer teatro oficial de Paraná, el "Theatro São Theodoro", cuya construcción data de 1884. La construcción del edificio actual del Teatro Guaíra fue iniciada en 1952, con proyecto del ingeniero Rubens Meister. Fue construido en etapas e inaugurado, finalmente, en 1974. Este importante espacio cultural, un conjunto arquitectónico majestuoso con 16.900 m², abriga tres salones de espectáculos: el auditorio Bento Munhoz da Rocha con 2.173 lugares, el auditorio Salvador de Ferrante con 504 y el auditorio Glauco Flores de Sá Brito con 113 lugares.

À direita:
Faróis do Saber
Bibliotecas moduladas de metal e vidro que funcionam, nos bairros, junto das escolas municipais, que podem ser freqüentadas também pelos moradores da comunidade. Foram inspirados no antigo farol e na famosa biblioteca de Alexandria. São mais de 40 Faróis do Saber. Na foto, o primeiro Farol do Saber denominado "Machado de Assis", em homenagem ao fundador da Academia Brasileira de Letras.
À esquerda:
Farol das Cidades
É um Farol do Saber que possui vários computadores ligados à Internet, para uso dos interessados. Inaugurado em 2 de outubro de 1995, Dia Mundial do Habitat, por ocasião da realização, em Curitiba, do Habitat II, organizado pela ONU.

On the right:
Beacons of Knowledge
These minilibraries, built with metal and glass next to the municipal schools in the city's various districts, may also be accessed by the other members of the community. They were inspired by Alexandria's (Egypt) old beacon and its famous library. In all, the city has over 40 of these Beacons of Knowledge. The picture shows the first one named after Machado de Assis, as a tribute to the great writer and founder of the Brazilian Academy of Letters.
On the left:
Beacon of the Cities
Is a Beacon of Knowledge equipped with several computers linked to the Internet, which can be used by the members of the community. It was inaugurated on October 2, 1995, World Habitat Day, when Habitat II was held in Curitiba, under the auspices of the U.N.

A la derecha:
Faros Del Saber
Bibliotecas moduladas de metal y vidrio que funcionan en los barrios, junto a escuelas municipales, que pueden ser frecuentadas también por los habitantes de la comunidad. Fueron inspiradas en el antiguo faro y en la famosa biblioteca de Alejandría. Hay más de 40 Faros del Saber. En la foto, el primer Faro del Saber denominado "Machado de Assis", en homenaje al fundador de la Academia Brasileña de Letras.
A la izquierda:
Faro De Las Ciudades
Es un Faro del Saber que posee varias computadoras ligadas a Internet, para uso de los interesados. Inaugurado el 2 de octubre de 1995, Día Mundial del Habitat, por ocasión de la realización en Curitiba, del Habitat II, organizado por la ONU.

Machado de Assis

Em cima:
Memorial da Cidade
Com 5000 m2, é um espaço dedicado às artes, folclore, informações, memória, além de expor peças artísticas. O prédio em forma estilizada de pinheiro, árvore símbolo do Paraná, tem estrutura de ferro, com as paredes laterais e cobertura de vidro laminado. Possui quatro pavimentos e um terraço panorâmico com vista para o entorno. No primeiro andar, existe a Capela da Fundação: com dois altares restaurados da antiga Igreja Matriz de Curitiba; uma imagem de Nossa Senhora da Luz e o livro da fundação de Curitiba. Sobre os altares, existem pinturas em afresco, trabalho de Sérgio Ferro.

À direita:
Museu Paranaense
Foi inaugurado em 25 de setembro de 1876, com um acervo de 600 objetos, compreendendo artefatos indígenas, moedas, pedras, conchas, insetos, borboletas e raridades. Foi o primeiro museu criado no Paraná e o terceiro no Brasil. Teve diversos endereços. A edificação, em estilo "art-nouveau", que atualmente abriga o Museu Paranaense foi construída em 1916, na gestão do prefeito Cândido de Abreu. Já foi Prefeitura Municipal. É Museu Paranaense desde 1973, com acervo de 135 mil peças que contam a história do Estado.

Above:
Memorial of the City
This 5000 m2 space is dedicated to the arts, folklore, information, memory, in addition to exhibiting artistic items. Constructed in the stylized shape of a pine-tree, symbol of the state of Paraná, the building has an iron structure, with its side walls covered with laminated glass. It is four stories high and has a panoramic terrace overlooking its surroundings. On the first floor there is the Foundation Chapel with two altars restored from the former Curitiba Main Church, a statue of Our Lady of the Light and the Curitiba foundation book. Over the altars, there are fresco paintings done by Sérgio Ferro.

On the right:
The Paranaense Museum
It was inaugurated in 1876, with a mass of 600 objects, comprising native artifacts, coins, stones, shells, insects, butterflies and rare items. This was the first museum created in Paraná and the third in Brazil. It had different addresses. The "art nouveau" building, which currently houses the Paranense Museum was put up in 1916, by the then mayor Cândido de Abreu and originally used as City Hall. It has housed the Paranaense Museum since 1973, with a mass of 135 thousand pieces which recount the history of the state.

Arriba:
Memorial De La Ciudad
Con 5.000 m2, es un espacio dedicado a artes, folklore, informaciones, memoria, además de muestras de piezas artísticas. El edificio, en forma estilizada de "pinheiro"(araucaria), árbol símbolo de Paraná, tiene estructura de hierro, con las paredes laterales y cobertura de vidrio laminado. Posee cuatro pisos y una terraza panorámica con vista al entorno. En el primer piso está la Capilla de la Fundación: con dos altares restaurados de la antigua Iglesia Matriz de Curitiba; una imagen de Nuestra Señora de la Luz y el libro de la fundación de Curitiba. Sobre los altares existen pinturas al fresco, trabajos de Sergio Ferro.

A la derecha:
Museo Paranaense
Fue inaugurado el 25 de septiembre de 1876, con un acervo de 600 objetos, comprendiendo artefactos indígenas, monedas, piedras, conchas, insectos, mariposas y rarezas. Fue el primer museo creado en Paraná y el tercero en Brasil. Tuvo diversas direcciones. La edificación, en estilo "art-noveau", que actualmente abriga el Museo Paranaense, fue construida en 1916, en la gestión del alcalde Cândido de Abreu. Fue alcaldía. Es Museo Paranaense desde 1973, con acervo de 135.000 piezas contando la historia del Estado.

Exposição
Luzes e Cores da Provença
Casa Andrade Muricy
7 de fevereiro a 29 de março

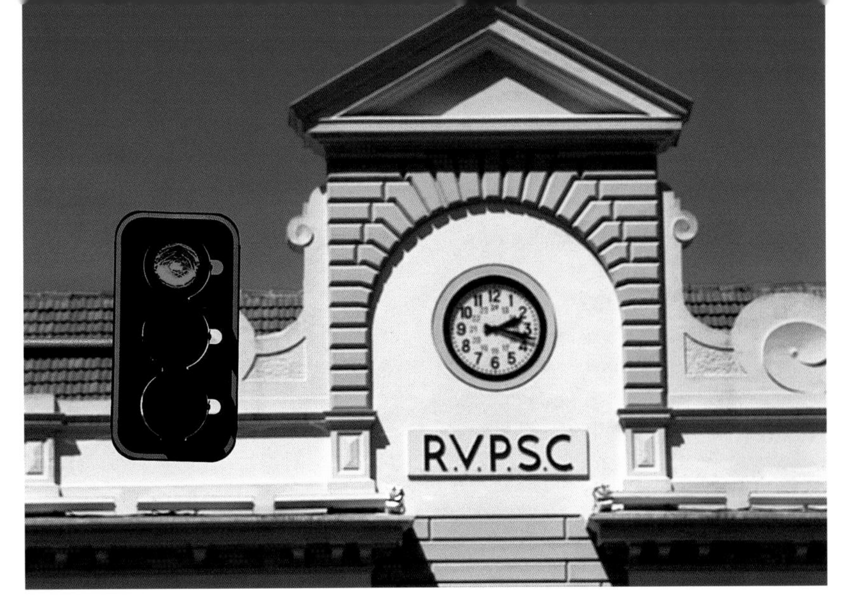
R.V.P.S.C

FALTAM 436 DIAS
500 ANOS
TV PARANAENSE

HOSPITAL
CARIDADE

Em Curitiba a vida cultural é intensa. São numerosas as opções de eventos em espaços culturais, museus, galerias e teatros.
À esquerda:
Em cima: **Casa Andrade Muricy - CAM**, o mais recente espaço criado pela Secretaria de Estado da Cultura (localizada em prédio, de 1923-1926, que já foi sede da Coletoria Estadual e da Junta Comercial). Tem por finalidade a apresentação de consagrados artistas nacionais e internacionais em exposições de artes visuais.
Embaixo: **Museu de Arte Contemporânea do Paraná - MAC**, tem por finalidades abrigar e preservar as obras de representativos artistas brasileiros em especial de paranaenses. Foi inaugurado em 1974 neste prédio, de 1926-1928, que já foi sede da Secretaria de Saúde Pública.

Á direita:
Conservatório da Música Popular Brasileira; Museu de Arte do Paraná - MAP; Museu Botânico Municipal e Centro de Convenções de Curitiba.

Curitiba has a rich and varied cultural life with countless cultural options to be found in museums, art galleries and theaters.
On the left:
Above: ***Andrade Muricy House*** *– The most recent space created by the State Secretariat of Culture (located in a building put up from 1923 to 1926, which in the past has housed the State Tax Collecting Office and the local Chamber of Commerce). Its purpose is to present renowned national and international artists through visual arts exhibitions.*
Below: ***The Paraná Contemporary Art Museum*** *has the purpose of housing and preserving works of representative Brazilian and, particularly, Paranaense artists. It was inaugurated in 1974 in this building (1926-1928) which once headquartered the Public Health Secretariat.*

On the right:
Conservatory of Brazilian Popular Music; Paraná Art Museum; Muncipal Botanical Museum and the Curitiba Convention Center.

En Curitiba la vida cultural es intensa. Son numerosas las opciones de eventos en espacios culturales, museos, galerías y teatros.
A la izquierda:
Arriba: ***Casa Andrade Muricy – CAM****, el más reciente espacio creado por la Secretaría de Estado de la Cultura (localizada en un edificio de 1923-1926, que ya fue sede de la Colectoría Estadual y de la Junta Comercial). Tiene por finalidad la presentación de consagrados artistas nacionales e internacionales en exposiciones de artes visuales.*
Abajo: ***Museo De Arte Contemporánea De Paraná – MAC*** *tiene por finalidad abrigar y preservar las obras de representativos artistas brasileños, en especial paranaenses. Fue inaugurado en 1974 en este edificio, de 1926-1928, que ya fue sede de la Secretaría de Salud Pública.*

A la derecha:
Conservatorio de la Música Popular Brasileña; Museo de Arte de Paraná – MAP; Museo Botánico Municipal y Centro de Convenciones de Curitiba.

Rua 24 Horas
Tem 120 metros de extensão e 12 de largura. É formada por 32 arcos em estrutura metálica tubular, marca da moderna arquitetura curitibana. Abriga 34 lojas permanentemente abertas: supermercados, banca de jornais, banco, cafés, bares restaurantes. É grande ponto de encontro de turistas e curitibanos que buscam lazer, diversão, boemia e boas opções gastronômicas.

The 24 Hour Street
This street is only 120 meters long and 12 meters wide. It is formed by 32 arches made of a tubular metal structure, a trademark of modern Curitiba architecture. The street has 34 shops that stay open round-the-clock: supermarkets, a newsstand, a bank , cafés, restaurant bars, and is a great meeting point for both tourists and local citizens who yearn after leisure, amusement, a care-free life and good eating options.

Calle 24 Horas
Tiene 120 metros de extensión y 12 de anchura. Está formada por 32 arcos en estructura metálica tubular, marca de la moderna arquitectura curitibana. Abriga 34 tiendas permanentemente abiertas: supermercados, kioscos, banco, cafés, bares, restaurantes.Es gran punto de encuentro de turistas y curitibanos que buscan pasatiempo, diversión, bohemia y buenas opciones gastronómicas.

Centro Integrado da FIEP
O Centro Integrado dos Empresários e Trabalhadores da Indústria do Paraná (Cietep) é uma unidade da Federação das Indústrias do Estado do Paraná. É um dos mais modernos centros de serviços e de formação e aperfeiçoamento profissional do Brasil. São 30.000 m^2 de área construída em uma área total 150 mil m^2. Na entrada um mural em azulejos de Poty Lazzarotto.

FIEP's Integrated Center
The Integrated Center of the State of Paraná's Businessmen and Industrial Workers is linked to the State of Paraná's Federation of Industries (FIEP). It is one of Brazil's most modern centers for the provision of services and professional formation. It comprises 30.000 m^2 of constructed area over a total area of 150.000 m^2. The entrance is adorned by a tile mural done by Poty Lazzarotto.

Centro Integrado De La FIEP
El Centro Integrado de los Empresarios y Trabajadores de la Industria de Paraná (Cietep) es una unidad de Federación de las Industrias del Estado de Paraná. Es uno de los más modernos centros de servicios, formación y perfeccionamiento profesional de Brasil. Son 30.000 m^2 de área construida en un área total de 150.000 m^2. A la entrada un mural de azulejos de Poty Lazzarotto.

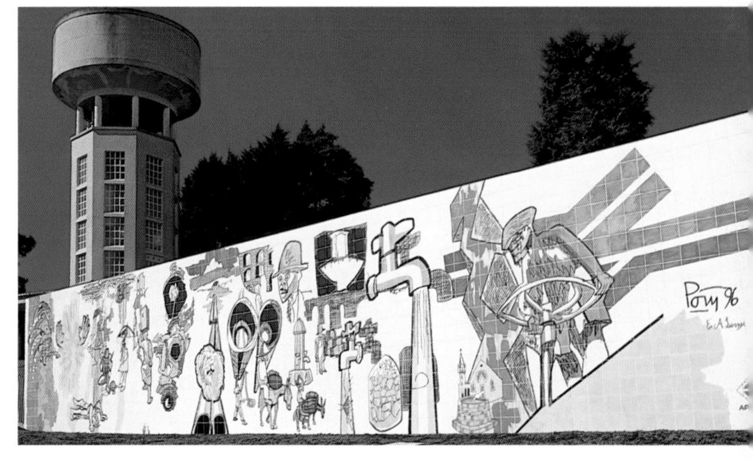

Murais de Poty Lazzarotto
Poty Lazzarotto (1924-1998) é o maior artista plástico curitibano. Foi desenhista, ilustrador, gravador, escultor... Executou numerosos painéis, vitrais e murais, em azulejos e em concreto aparente, em várias cidades do Brasil. Em Curitiba os diversos murais retratam aspectos da história da cidade e do Paraná.

Poty Lazzarotto Murals
Poty Lazzarotto (1924-1998) is Curitiba's greatest plastic artist. He was a draftsman, an engraver, a sculptor...He executed a number of panels, stained-glass windows and murals, both in tiles and high relief concrete in many Brazilian cities. In Curitiba, several of his murals show aspects of the history of the city and of Paraná.

Murales De Poty Lazzarotto
Poty Lazzarotto (1924 – 1998) es el mayor artista plástico curitibano. Fue diseñador, ilustrador, grabador, escultor... Ejecutó numerosos paneles, vitrales y murales, en azulejo y en hormigón armado, en varias ciudades de Brasil. En Curitiba, los diversos murales retratan aspectos de la historia de la ciudad y de Paraná.

Os grandes e modernos "shoppings' de Curitiba oferecem muitas opções de compras e lazer.
À esquerda: **Shopping Crystal e Shopping Curitiba**
Embaixo: **Estação Plaza.**

Curitiba's large and modern shopping malls provide many options for shopping, recreation and just loafing.
On the left: ***Crystal Mall and Curitiba Mall.***
Bellow: ***Plaza Station.***

Los grandes y modernos "shoppings"de Curitiba ofrecen muchas opciones de compras y pasatiempos.
A la izquierda: ***Shopping Crystal y Shopping Curitiba.***
Abajo: ***Estación Plaza.***

Ruas da Cidadania
Grandes ruas cobertas construídas, em vários bairros da cidade, com objetivo de descentralizar os serviços da Prefeitura Municipal. Além de lojas comerciais, têm postos de todos os órgãos da prefeitura prestando auxílio e orientação aos cidadãos.

Citizens' Streets
These are large covered streets built in several of the city's districts, for the purpose of decentralizing the Municipal Authority's services. Besides commercial establishments, they have branches of all the Municipal Authority agencies, thus providing assistance and guidance to the local citizens.

Calles De La Ciudadania
Grandes calles cubiertas, construidas en varios barrios de la ciudad, con el objetivo de descentralizar los servicios de la Alcaldía Municipal. Además de establecimientos comerciales, tiene puestos de todos los órganos de la Alcaldía, ofreciendo auxilio y orientación a los ciudadanos.